Het kladblok
van de bondscoach

Wünstum: vragen wat het landennummer van Niemandsland is

Luinge: of hij irritatie-training komt geven

Van der Lem; of hij mee wil trainen

JOHAN PESTEN
- Ajax vragen om nu ook nog Nunez te contracteren
- Met het maandblad LOUIS alle mediaprijzen winnen
- Jordi voor de oud-internationals selecteren

Cadeau-ideetjes Dennis:
1: Vliegtuigje 'bedankt' in de lucht laten schrijven
2: Musical maken van zijn doelpunt tegen Argentinië

IDEETJE
FC Niemandsland oprichten met Zenden, Bogarde en Ronald de Boer

NIET MEER DOEN-LIJSTJE
x Vergeten punch hitter te selecteren
x Te aardig zijn voor journalisten van studio sport

PERSCONFERENTIE ANTWOORDEN
- De eerste strap is gezet
- Ik het hele goeie dingen gezien
- De KNVB wil mijn contract nu al openbreken
of:
- Ne waren ongelukkig in de afwerking
- In mijn systeem mag niemand verzaken
- Van Hooydonk had achteraf van pas gekomen, ja

Cadeau-ideetjes Aron:
1: 84 bankafschriften
2: Zilveren horloge met als inscriptie: 'gouden horloge'
3: Gratis opzeggen van zijn abonnement op de Telegraaf
4: Met hele team diepe buiging voor hem maken

BRIEFJE AAN CO
Beste Co,
Wat is dat nou met Beenhakker? Beenhakker en beleid?? Beenhakker en scouting?? Hopen dat hij vooral vaak de buitenlandse contracten aanhaalt.
Zuchten verstraat iedereen.
De volgende keer eerst mij even bellen hè, geen praatjes krijgen, je ziet het tegen Sparta; het Beenhakker-effect slaat meteen toe.
Moeten ook nog afspreken hoe ik je de wissels doorgeef. AA Gent doe ik volgende week

WISSELEN

Reiziger, ~~Giovanni~~, ~~Ronald~~ ~~Bror~~, Reiziger,
~~Fredje Bouma~~, ~~Reiziger~~, Witschge, ~~Sonatti~~,
Michael, Kluivertaan, Kanterman,
van ~~Bronckhorst~~, Bronckhorst, ~~de~~~~Boer~~, Bert

PERSCONFERENTIEANTWOORDEN

✠ Vergeet niet dat ik spelers bij de
  Apenheul moest weghalen

✠ ~~Na die~~ → ~~0 frak~~ ~~het~~ ~~jij~~

✠ ~~Die 2-0 was de doodsteek~~

✠ Uiteindelijk konden we nog winnen ook

✠ Andorra zal geschrokken zijn van
  onze veerkracht

✠ Penalty's is dus niet het probleem

✠ Ik had niet verwacht dat ze zonder
  namen op hun shirt zouden spelen

IDEETJE

Bewoners Artis en Apenheul
motieltje geven

LICHTPUNTJES

- De geen-penalty-krijgen-
  training heeft gewerkt
- Johan mag niet
  meepraten bij RTL-5
- Er waren geen Italiaanse
  invaliden aanwezig
- Het dak van de ArenA
  lekte niet
- Seedorf
- Fredje Bouma; handig
  om een ballenjongen in
  het veld te hebben

NIET MEER DOEN-LIJSTJE
- Cyprus sterke
  tegenstander noemen
- scherper trainen dan spelen
- Cocu neus van
  Bill van Dijk geven

BRIEFJE AAN CO

Beste Co,
De competitie heeft prioriteit.
Als we NEC pakken, delen we
een gevoelige klap uit en komt
de 3de plek niet in gevaar.
Ik ga morgen weer senioren bij
de Apenheul misschien vind ik
nog een afmaker. Scout jij even
bij AFC 6? Loopt ene Kluft,
van 't schip, Gullit of zoiets en
Blind. Schijnt wel wat te zijn

JOHAN PESTEN
Aron mocht pas halverwege
zijn eigen huldiging invallen

Bellen

x Videotheken of zij misschien videobeelden van Andorrees voetbal hebben

x Andorrese ambassade of ze daar wel video hebben

x ANNB, waar Andorra ligt

x Neeskens; of hij zijn spelers op tijd afstaat aan Oranje

JOHAN PESTEN

Bekendmaken dat Dani een te volle neus voor de goal had

Nooit meer doen-lijstje

KNVB het afscheid van toppelers laten organiseren

BOODSCHAPPENLIJSTJE

- ~~Drank~~ ~~Bacardi~~ drankje
  natuurel Yoghurtdrink
- Cola
- Dus Penotti met chocola links
- IJsblokjes (kijken of Heertje erin trapt)

BRIEFJE AAN CO

Goed werk van Dani. Hij is niet de enige Ajacied die buiten het veld de lijnen uitzet hè. Heb je Beenhakker al op scoutingsbezoek naar Oezbekistan gestuurd? Als hij maar uit de buurt blijft.

Gert gaat converteren Dus bij balbezit bal in bezit houden en doorschuivende man laten doorschuiven. Bij balverlies vice-versa...

Ideetje

- 'n Rijkaard doortrekken ~~of eend eetting aanwijzen~~
2. Hele slechte speler selecteren en kijken of Dickie 'm koopt
3. In rust melden dat gevaarlijke hooligan in mascotte Dutchypak zit en peloton ME'ers op hem afsturen

Voor mijn autobiografie

Na Barcelona werd ik weer de laatste
Louis van de Louis van Gaal-varianten
Voetballers rennen harder voor een goed
mens, niet voor een grote trainer
Johan en ik hadden samen het
Nederlandse voetbal kunnen redden

Bellen

✗ Foppe (namens Rijkaard),
wat was dat ook alweer over
ervaring?

✗ Houwaart of hij coach van
mijn vrijetrappenvuurtjespoppen
wil worden

✗ Rommedahl of hij één van
de gouden koets-paarden kan
vervangen

✗ Vialli (namens Gullit); haha-
hahahahaha

Johan pesten

-Vragen of hij de corners
van Andorra wil analy-
seren

NOOIT MEER DOEN-LIJSTJE

-Het geluid aanzetten bij
sport aan tafel

Briefje aan Co

Beste Co,

Mijn AA Gent-tactiek
werkte precies zoals ik je
al schreef. Laat sjakie
Watts de thuiswedstrijd
maar coachen. De weg
naar de top ligt open.

Morgen gaan we de
balkonscène repeteren.

Nieuwe antwoord-
apparaatboodschap

-spreek uw enthousiasme in
na het fluitsignaal

-Ja Nutsche, tegen Gent
was je goed, maar Andorra
is geen Gent. Piep

-Ola senor Nuñez, manana
pan de Kootje? El piep

-Hier Louis, Europacups,
supercups, landskampioen-
schappen en dan moet ik jou
terugbellen? Piep

-Binnen 48 seconden vergeet een speler
zijn opdrachten niet
-Het gaat om lijfsbehoud, als je niet
zwemt, verdrink je
-Australisch water kan niet verdedigen
-Alle zwemmers zijn tweebenig en dus
overal in het zwembad inzetbaar

Bellen

× Van Raaij; beetje te opvallend
dat spelers die weggaan meteen
zwaar geblesseerd raken
× Nim Kat, misschien dat Dickie
Jan Pronk wel wil kopen.
× Kluivert, Van Halst, Reiziger,
onze medaillewinnaars hebben
allemaal haar. Wanneer je kunt
je ook op Oranje concentreren en
stoppen bij Ajax.

Johan pesten

-Barcelona heeft mij
helemaal niet nodig om
slecht te spelen

Nooit meer doen-lijstje
-Dronken naar trouwrede
kijken (leek net of ze een
ongekeerde kattebak op d'r
hoofd had)

BOODSCHAPPENLIJSTJE
~~Kaasnachips~~
~~Naturelchips~~
Bacardi
Paprikachips
Tortillachips
Cola

Briefje aan Co

Beste Co,
Mijn plan werkt prima.
Iedere naam die niet met
Van der begint wordt
aangepakt. Er kunnen nog
veel meer Van ders
doorstromen. Regel even Van
der Chum en Van der
Groeljar met de autoritei-
ten. Goed om ze op scherp te
zetten vlak voor AA Gent. Je
hebt toch niet stiekem put-
opties Ajax gekocht hé?

Persconferentie-antwoorden

- De internationale kalender is overvol en binnenkort gaat ook nog de wintertijd in
- Ik het de banden uit Cyprus op SBS6 bekeken. Vooral hun buiten-porno viel op.
- Die brave olympiërs hebben meer dan 50.000 condooms nodig, mijn selectie kan een meereizende abortuskliniek dus zeker gebruiken

Looplijnen-analyse spitsen

M. Christodoulou, t.l.m. Constantinou ↑← (warming up)
M. Christodoulou M. Constantinou (volkslied)
M. Christodoulou → M. Constantinou ↑ (aftrap)
M. Christodoulou → M. Constantinou ↑ (0-1)
M. Christodoulou → M. Constantinou ↑ (0-2)
M. Christodoulou → M. Constantinou ↑ (0-3)
M. Christodoulou →→→→→→→→→→→→→ (rode kaart)
M. Christodoulou →→→→→→ ↓
                    ↓→→→→→ ↑ (douche)

Bellen

✗ Kezman; gedragen die andere PSV'ers zich eindelijk als voetballers, begin jij te zeiken als een Brabants boertje

✗ Van Moorsel; i onvermachte make-uptest en je was gediskwalificeerd

Briefje aan Co — Johan pesten

Beste Co,

Vraag even aan Van Praag of behandeling Van Halst bij de nieuwe 'zakre clubsfeer' past. Lekker hoor Lausanne. Kunnen we weer een paar embryo's opstellen. Kunnen we geen kinderbijslag aanvragen voor die jochies?

- Heertje vragen om hem deze week te negeren

Computeranalyse Cyprus-Nederland

\# We hebben 4-0 gewonnen

\# Deel van het publiek had zich verkeed als
   leeg stoeltje

\# Moedige scheidsrechter bespaarde ons de
   ellende van twee penalty's

\# Als Seedorf niet gespeeld had, had hij niet
   gescoord

\# We stonden om 21:15 uur op 4-0.
   Zonder tijdsverschil was dat dus de eerste
   helft geweest. Knappe prestatie eigenlijk

(Bellen)

Witschge: misschien dat jij het enige slachtoffer
van de millenniumbug bent

Seedorf: had ik je al bedankt?

KPN: wat nou internetrechten? Beetje verhuizing

gaat al 8 x mis

Seedorf: had ik al gezegd dat je geweldig invidt?

Melchior: het je zin om woensdagavond Van Os
uit te komen lachen?

Briefje aan Co

Beste (want dat ben je) Co,
Lekker weekend zonder
puntverlies hè, je taxfree items
het ik allemaal gekocht. Zijn
schoenveters echt goedkoper op
het vliegveld van Cyprus?

Opties na Cyprus

✗ Huldiging in Ridderzaal

✗ Van maandsalaris heel
  Cyprus opkopen en in een
  andere zee werpen

✗ Beatrix lintje aan seedorf
  laten geven

✗ journalisten condoleren met spel seedorf

JOHAN PESTEN

(IK KEN MAAR 1 JOHAN EN
DAT IS JOHAN SEEDORP)

Bellen

x **Rijkaard**, hoe deed jij dat nou, die gelijkspelletjes?

x **Fredje**: als niemand shirtje wil wisselen vraag je het toch aan Maru?

x **Mars**: als niemand shirtje wil wisselen vraag je het toch aan Fredje?

Nooit meer doorlijstje

Zo populair worden dat fluitconcert door 1 supporter wordt uitgevoerd

Briefje Co

Allerbeste Co,

Weet jij waarom een coach niet mag snuiven?

Het gaat erom dat je de neuzen dezelfde kant op krijgt.

Jouw neus is onbelangrijk. Weet je nog dat Dickie nieuw haar heeft laten inplanten? Van zijn oude haar schijn je een hele opwekkende soep te kunnen trekken.

Quotes voor spelers:

\# Als ze die twee doelpunten niet scoren is het gewonnen 0 — 0

\# Als wij wel scoren en zij komen er niet doorheen is het gewonnen 1 — 0

\# Als het de hele avond gewonnen had was de wedstrijd afgelast en heeft niemand het voor Reiziger

Uitgangspunten

Het collectief is altijd sterker dan individuele klasse

Balbezit is essentieel om wedstrijd te winnen 0-1 0-2

Individu is ondergeschikt aan tactiek

Computeranalyse Nederland - Portugal

- Nitsche deed niet mee
- Nederland wist 92% van de kansen niet te verzilveren

Bekijken

- Van Hooijdonk
- Van Hooijen
- ~~aanbieding cola en~~ Bacardi bij de ~~matro~~
- Hasseltbrak

(Bellen)

Van den Herik,
Gefeliciteerd met het
kampioenschap
Van Hintum, sorry, ik
heb je telefoonnummer
niet
De rechtsbuiten van het
Paralympics-team voor
de linksbackpositie bij ons
Darun, zaten er ook spor-
ren van heroïne in je
haar?

Citaten voor interviews

* Ik geef even geen interviews
* We hebben alles nog in eigen
hand, ook als dat niet zo
mocht zijn
* Het is maar de vraag of dat
een vraag is, en ongevraagd
antwoorden is ongepast
* In onderschepte cocaïne
worden vaak sporen van
Dani's haar gevonden

Doe lijstje

Door de media afgemaakt worden
en wedstrijden winnen

Nooit meer doen lijstje

Verrassend aardig gevonden worden
maar geen goeie resultaten halen

Briefje Co

Ola Co,
Leer je maar vast wat spaans. 't Gaat
lekker hoor! Ik denk dat je zeker tot de
32e graspmat mag blijven.

Neem je een stukje Zwitserse kaas voor
me mee? Niet te veel gaten hè,
waar dan gaat Van Hanegem weer
zeuren over het poutispel.

Computeranalyse Pronk-Lubbers

Pronk: 70% gezichtsverlies, 97% slechte timing 100% buitenspel

Lubbers: 100% ha ha ha

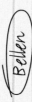

(Bellen)

Van Praag: Moet Ajax niet proberen een Zloty-league op te zetten?

Duivenberg: Nog even op je krijgt voor één dollar 5 Euro League's

Dickie: kun jij ons alsjeblieft van die Pronk verlossen?

IDEETJE

Eredivisie weer eredivisie noemen en KPN geld terugggeven zodat werknemers kunnen blijven

Of: Nu-Wordt-Onze-Service-Nog-Slechter-Eredivisie

JOHAN PESTEN

De Louis van Gaal Foundation oprichten voor snelle zakenjongens die een graantje van mijn succes mee willen pikken

Doe-lijstje

✗ Vragen aan de KNVB of ik er nog een chappie bij kan doen

✗ Kijken of ik voor Andorra wat leuke rugnummers kan regelen

✗ Tientje overmaken op girorekening 777
t.n.v. sleep Pierre van Hooijdonk de winter door

BRIEFJE CO

Beste Co,

Topje tegen PSV. Jij gaat 't redden hoor, van Ajax weet ik het nog niet. Heb je nog aandelentips voor me? Heb nu alleen Baan, Fokker, NOL en Ajax.

Meetje Mario M.

Niet overdrijven met die excuses hè. Sportjournalisten hebben zich nog nooit verontschuldigd voor hun onbeschofte gedrag. Die Hasselbaink, is dat een Nederlander?

Computeranalyse Kok - van Aarsten

Kok   79% strontt in z'n oren
Van Aarsen 92% schijt in z'n broek

Bellen

Alexander: Als we je schoonpa accepteren is een strafblad nooit meer een lingjesbelemmering

Dawn: Volgende keer niet meer je nekharen uitvoeren hè

De Harkelaar: Als we Maxi-pa accepteren is een strafblad nooit meer een lingjesbelemmering

Keiman: Zou je niet eens wat portretrechten aan Donald Duck betalen?

LOOPLIJNEN SPORTWEEK-INTERVIEW

Ik → ← journalisten
samen
ik → journalisten
tegenvraag → ← vraag!
tegenvraag 2 → ← vraag!
tegenvraag 3 → ← antwoord op vraag!
tegenantwoord! → ← Bedankje!
tot ziens! → ← Bedankje 2
weg
ik ↓↓↓ zij

Doe-lijstje
✗ Die Van Halst van Fortuna analyseren voor Co
✗ Vragen wanneer Jan-maat Turkyempor wil fluiten

BRIEFJE CO

Vriend Co,
je begint lekker ingewerkt te raken. Alleen slecht reken dat Van Os achter je staat.
Nieuwe straffen:

— LAAT KOMEN:
Alle klokken in horlogewinkel gelijk zetten

— ONGEICHOLEN TRAINEN:
780 × Ruud Lubbers kussen

— TALENT HEBBEN:
Aan Chelsea verkopen

— IN DOUCHE PISSEN:
Zaterdagnacht met hoofd omlaag & mond open door A'damse grachten varen

E-MAIL

Gispart: Hahaha la vida van pick-
nick

Rick van der Ploeg: Kalon is onze beste
jonge allochrone kunstenaar. Hebt u
nog wat subsidie?

Van Raaij: Hoe vaak wilt u de blun-
ders van Gerets nog hertellen?

Persconferentie-antwoorden

-Natuurlijk verlang ik terug naar de tijd dat we
pas verloren na gemiste penalty's

-Je calouleert in dat als je wint van spanje, het
zetten van je schoen nutteloos wordt

-Technisch, tactisch en fysiek zijn we beter dus
verwacht ik een klein verlies

-Natuurlijk moeten de PSV-spelers voor de wedstrijd
grondig geantgerest worden

-Dit spanje kun je niet vergelijken met het spanje
van Inca Marina

Fax voor Co

Beste Co,

Heb je al een grasstraf voor de
ArenA-directie? Ideetje; scheer
ze kaal en geef ze een
slechtzittend, niet kleurvast
toupetje. Elke week een nieuwe.
Denk je echt dat Bobson het
niveau van Haarlem al aan
kan? Voorzichtig brengen hè...

Computeranalyse Bush Gore

Gore; zijn hoofd is 50% leeg
Bush; mijn hoofd is 50% vol

Doe lijstje

Hasselbrink uit-
leggen dat als hij
nu scoort, dat dan
komt door het
andere systeem

E-mail

-Scheringa; Laat uw gebrek aan fatsoen op de beurs
noteren, een gegarandeerde winner
-IOFA; Die Ajax-documentaire moet, om een beetje
in stijl te blijven, afgespeeld worden op een kapotte
zwart-wit videorecorder met onherstelbare waterschade
-Daan; kunt u geen dansweddstrijd organiseren tussen
een haar van u en één van Dani?

FAX VOOR CO

Beste Co,

Even voor de discipline; als de spelers w.v.m. de sint
hun schoen willen zetten; geen witte hè. Niet aan
Wamberto vertellen dat de sint niet bestaat hoor.
Zorg dat-ie elke dag zijn voetbalschoen zet, kan-ie
tenminste niet meespelen.

Lessen van Spanje

1: Een doelpunt dat niet via de 4,
de 10, de 11, de 9 en dan weer de 10
gescoord wordt, telt gewoon.

2: Een doelpunt dat niet via de 5,
de 8, de 9 en dan weer de 8 gescoord
wordt, ook

3: Misschien moet ik ophouden met
een vast systeem en op z'n
Hasselbainkies gaan spelen (aannemen
en in erin knallen)

COMPUTERANALYSE
KLIMAATCONFERENTIE
71% zegt dat de aarde kapot gaat
29% vindt het wel lekker warm worden

DOE LIJSTJE: Alle vertegenwoordigende

elftallen laten spelen volgens het typisch Nederlandse
Hasselbainkie-systeem

BELLEN

Jerry; de pincode van Emerson is 4625
Andy van Gruinsven; op de nek van
Rommedahl win je over vier jaar weer goud

E-mail

Beckenbauer; heeft je vrouw al
door dat Johann nr. 14 is? Had 'm
dan Edwinn genoemd. Denkt ze
dat 't de eerste keer was.
Beckenbauer 2; Oranje is team
van het jaar; een Edgar erbij zou
wel leuk zijn
Beckenbauer 3; je had je toch
kunnen distantiëren door 'm
schwalbe te noemen?

DOE-LIJSTJE: speech schrijven i.v.m. uitverkiezing
ploeg v/h jaar. Niet vergeten mezelf te bedanken

Lijstje opsturen
wereldvoetballer
v/h jaar
1. Fredje Bouma
2. Jan Vennegoor of
   Hesselink
3. Fredje Bouma
4. Zinedine Zidane

FAX VOOR Co.

Beste Co,
Ongelooflijk dat die Machlas af en toe toch raak
schiet. Of hebben ze in Griekenland grotere goals?
sprak gisteren de sint; hij gelooft niet dat
Wamberto echt bestaat. Vraag je Wamberto of-
te ophoudt de wortel
voor het paard
zelf op te eten?

Johan pesten

Zielig hoor als de
voorzitter van de
DFB het resultaat
van drank en een
gescheurd condoom
naar jou vernoemt

BRIEFJE CO

Beste Co,

LESSEN VAN ARIE HAAN

x Na 2 weken botsen ze 'm net zo hard uit als na 2 jaar

* Raar dat-ie belofies meteen vergeet maar nooit z'n pincode

x Een fitte oplichter stellen ze altijd ergens aan

BELEIDSPLAN VOETBAL - FORMULE 1 RACEN

- Multifunctionele coureurs selecteren die de auto binnen besturen, repareren en wassen

- Vanaf de jeugd moet in vaste patronen tegen muren worden aangereden

- We willen altijd op de weghelft van de tegenstander racen

Nooit meer doen lijstje

* Vragen aan sinterklaas waarom bij hem niemand zeurt dat hij alleen Nederlanders opzoekt.

Bellen

Van Raaij: Wat dacht je van een Euro League voor Formule 7 rijders?

Van Praag: Haal snel die modder weg, het je een prachtig geasfalteerde racebaan

Kun je die ArenA-directie niet wijzen op de nieuwe euthanasiewet?

Langdurig en ondraaglijk lijden lijkt me behoorlijk van toepassing op hun grasmat. Van de sint het verzoek of Naamloto zijn chocolade N-er als klimrek wil gebruiken.

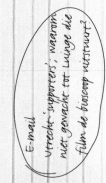

E-mail

Utrecht-supporters', waarom niet gewacht tot Uninge die film de bioscoop uitstuurt?

→ E-mail

Van Raaij: De waarheid weten? kijken of er in
huize Gerets meer enveloppen dan briefpapier liggen

Gerets: Heb jij het adres van Pinochet? schijnt goeie
hersteltrainer te zijn

Papa Máxima: U kunt uw dochters huwelijk
gezellig bij de familie Gerets komen vieren

Nederlandse les voor Leonardo

Justitie laat je alleen met rust als je grootschalig
moordt, verkracht en rooft. Paspoortvervalsing durven
ze tegen op te treden. Schiet gewoon wat mensen
neer op straat, het je nooit meer problemen met ze.

Bellen

1. Nuon: is het geen belangenverstrengeling als
Vitesse zaken doet met iemand die marrelt
terwijl jullie elektriciteit leveren?

2. Gerets: Als je opschiet, kun je nog wat
goedkope chocoladeletters inslaan

3. Van Praag: Zeg gewoon dat je nu al kunstgras hebt.
Kunst wordt vaak pas tientallen jaren later begrepen

BRIEFJE CO

Beste Co,

Gewoon doorgaan met die jonge
jongens hoor. De toekomst gaat
je gelijk geven. Dat leert de
geschiedenis. En Feyenoord
krijgt justitie achter zich aan
en Vitesse en PSV het joegosla-
vië-tribunaal. stra je zonder
iets te doen gewon 1ste.

Nooit meer doen lijstje
mezelf aanmelden als
voetballer van de eeuw

Antwoorden voor eindejaarslijstjes

Erg gemist
- Fraaie uitspraken Jorien v/d Herik
- Jari Litmanen
- Tapas met Núñez
- Millenniumprobleem

Meeste tijd verpest aan
- Luisteren naar Euro League-gelul
- Lezen over Euro League-gelul
- Praten over Euro League-gelul

Hardst gelachen om
- Tactische vondsten Gerets
- Wessels Gerets

Grootste gesdeceerde geslachtsdeel
- Jorrel Hasselbaink (sorry Michael)

Meest door mij vergeten linksback
- Marc van Hintum

Meest gehate geluid
- Fluitje
- Stem Bill van Dijk

Favoriete hertelling
- Nederland–Portugal
- Nederland–Ierland
- Enveloppen Eric Gerets
- Verliespunten Ferrer

Voorspellingen 2001
- Nieuwjaarsrede van Van Raaij is die van 2000 met nieuw jaartal
- Andorra speelt zonder schaduwspits
- Cyprus landt met vertraging op Schiphol

Grootste angst 2001
- Dat Leonardo's paspoort net vals blijkt te zijn voor Portugal–Nederland
- Dat Hasselbaink blijft scoren
- Dat Jordi de ster v/d Primera Division wordt

Kerstkaart Co
Beste Co,
Voor 2001 wens ik je meer punten dan het aantal vervangen grasmatten toe.

Kerstkaart Dickie
Mijn boom mist nog een final touch. Heb je nog wat engelen haar over?

Kerstkaart Johan
Ongelooflijk dat je via Beckenbauer maar voor Fredje Bouma geëindigd bent.

→ E-mail

PSV: het geen kerstpakket ontvangen, klopt dat?

Telstar: bedankt voor het mandje tomatenpuree, heel origineel

Karel Aalbers: Lang leve uw openbare winmasuriniarief. Hebt u heer Olivier, Rasra Rostelli en Nina Brink al benaderd voor uw beleidsteam?

QUOTES VOOR 2001:

\# In balbezit hebben we maar 10 man zonder bal

\# Als het antwoord al in de vraag verborgen zit, vraag ik liever een antwoord

\# The referee whistled like a shit

\# Clarence rijmt de gaten op het middenveld

BRIEFJE CO

Bedankt voor je kaart. Goeie straf voor Vitschge, hoor, dat potgegels likken. Moet je maar niet zo slijmen bij journalisten. Nu ga ik de video met schansprungen bekijken

GOEIE VOORNEMENS

- stoppen met lachen om resultaten Barça
- Geen verdedigers selecteren tegen Andorra

SLECHTE VOORNEMENS

- Zeggen dat Druts nivoloos doorgaat tot het einde

Doen-lijstje

Lege flessen naar de glasbak

Nog meer lege flessen naar de glasbak

Nooit meer doen-lijstje

Bacardi-cola drinken terwijl de cola op is

Bellen

- Erik van Muiswinkel: die Henk Spaan-imitatie is geweldig
- Inge de Bruijn: nee, zomaar
- Pieter v/d Hoogenband: bedankt voor 't nummer van Inge

BRIEFJE AAN DE SPORTPERS

~~Geachte~~ ~~Beste~~ ~~Geachte~~

Sportpers,

Jullie luie, slecht gedocumenteerde aandacht voor Vitesse en meneer Twanakotta bevestigt mijn bangste vermoedens. Mijn over-geciteerde vraag wie nu zo dom is en wie intelligent, is voor eeuwig beantwoord. Zijn de reportages over de nieuwe spits van Vitesse, Napoleon Bonaparte, al klaar? Ik verheug me erg op de kleurenbijlage over de nieuwe Geledome-stadionspeaker, Jezus van Nazareth. Lekker hoor, jullie hebben nog inrichtingen vol potentiële gegadigden om je 'werk' aan te wijden. Vinden jullie het erg als ik jullie de rest van deze eeuw niet meer serieus neem?

BELLEN

✖ Rocky Twanakotta: Heb 2 uur tevergeefs op Bill Gates gewacht. Wil hij me echt 100 miljoen kilobyte cadeau doen?

✖ Jorien: Je kunt ook alle tv's van Nederland opkopen, is goedkoper dan die rechten

✖ Karel Aalbers: Klopt het dat u nog 100 miljoen leugens in Vitesse steekt?

✖ Jorien: Neem alle Nederlandse cameramensen in dienst en ga dan onderhandelen

✖ Rocky Twanakotta: Gelukkig hoor dat je de eerste bemande ruimtevlucht naar de zon organiseert

Briefje Endemol

Geachte mevr. Schaaphok,

Ik heb geen tijd om mee te werken aan uw nieuwe idee. Het ophalen van zaad van talentvolle Afrikaanse voetballers lijkt me overigens niet zo moeilijk. U kunt die heren waarmee u uw programma's normaliter vult toch vragen een keer niet door te slikken? Camera erop, tirelijtje eroverheen (slikt ze of slikt ze niet). telefoonlijntje openen en weer wat zendtijd gevuld.
Ik denk dat JA, IK WIL EEN VOETBALLER een groot succes kan worden. Nog meer programma's?

1: JA, IK WIL EEN BABY MET ONVERMOEIBARE HAARDOS
-(zaad van Dawn)

2: JA, IK WIL EEN BABY DIE Z'N HELE LEVEN DUIMT
-(zaad van Karel Aalbers)

3: JA, IK WIL GEEN BABY
-(zaad van de ArenA)

Het blijft jammer dat uw moeder het programma
JA, IK WIL EEN ABORTUS niet wist te winnen.

E-mail

Rocky T.: Geweldig die kaartjes voor de inauguratie van Al Gore. Ik kom zeker!

Doe-lijstje

\# Tip natrekken over ene Roy van NAC

\# Voorstel uitwerken om in de Nederlandse strafschopgebieden onverwachte paspoort-controles uit te voeren

E-mail

Karel A. Het ultimatum van je laatste ultimatum liep af voor het vorige ultimatum van een nieuw ultimatum was voorzien. Heb je soms aandelen ultimatum? Of is ultimatum de nieuwe sponsor en werk je aan de naamsbekendheid?

Citaat voor interview

De waarde van een stille tocht daalt als je te vaak organiseert. Misschien moeten we jaarlijks een Elfstedenstilletocht organiseren en verder niks.

Briefje Co

~~HEEL COPPPELL~~ Beste Co,

Heb je nog wat mooie straffen uit het Midden-Oosten meegenomen? (slechte uitgooi: hand eraf, schelden op de scheids: tong uitrukken etc.) Lekker gevoel dat ik via jou mijn selectie voor 2006 kan klaarstomen. Goed dat je zo eigenwijs was over Wamberto. Verder wel blijven luisteren hè? In Revu roept een ex van Dani dat-ie niet kan wippen. Trol. Je bent zo goed als je tegenstander je laat spelen toch. Zou ook wel overdreven zijn als Dani ook nog heel goed in bed is. Het talent en de looks moeten toch een beetje eerlijk verdeeld worden? Wedden dat Horst Hrubesch heel goed kan wippen?

E-mail

- M. KEZMAN: Nee hoor, ik denk helemaal niet dat je een zielenpiet bent met dat wijzen op je naam na een goal. Wijs je na een misser wel even op je geslachtsdeel?

- M. KEZMAN: Sorry, misschien is Kezman wel Joegoslavisch voor suf lulletje, dus doe je dat eigenlijk al.

- KAREL A.: Heeft u echt zo'n slechte adem dat mensen pas met u gaan praten als u 100 miljoen gulden meeneemt?

(Briefje Co)

Brief ArenA-directie:

Geachte ArenA-directie,

Helaas kan ik niet aanwezig zijn op de receptie t.g.v. de 25e grasmat. Erg leuk dat u alle grasmatten nog één keer bij elkaar brengt. Menig traantje zal weg-gepinkt worden bij het zien van al die loshangende plaggen, geverfde sprieten en molshopen. Bij het diner met de grasmatten en de door hen gefrustreerde spelers ben ik wel aanwezig.

Beste Co,

~~Beste~~ Jammer van Vitesse. Kan gebeuren en dan gebeurt het meestal ook. Ik ben gevraagd om trainingsvormen te bedenken voor stille-tochtlopers. Schijnt een olympische sport te gaan worden. Heb jij nog een leuke spreekverbod-oefening?

Briefje sportpers

<u>Luc Aalbers, Leforats, Heren v/d sportpers</u>

Goh, dat jullie Aalbers plotseling laten vallen. Beetje laat hè?
Het idee van de journalistiek is dat wij de hele dag werken
en dan 's avonds jullie analyses bekijken. Niet dat wij de
hele dag werken, 's avonds bedenken hoe het zit en dan drie
weken later lezen dat jullie het ook door hebben

E-MAIL
PSV-fans -Dank voor uw opzeggingen en bedreigingen,
ook daarvoor was Kezman al een fantastische spits (net
als Bruggink trouwens)
PSV-fans -Mijn handschrift werd verkeerd gelezen;
suf lulletje had moeten zijn tof krulletje
PSV-fans -Als rectificatie ga ik het Beramax-video-
systeem weer gebruiken
PSV fans -Kezman schijnt in het joegoslavisch te
berekenen: per prachtig doelpunt verliest één fan zijn
gevoel voor humor

Briefje Co

<u>Ola Lieve Co!</u>
sorry, beetje te veel gedronken,
die sponsor van Aalbers gaf
een rondje van het geld dat-
ie nou over heeft. Lekker dat
je shota weer scherp hebt.
Vreemd gevoel dat die twee
keien dit jaar meer speeltijd
in de ArenA gehad hebben
dan Nistelge.

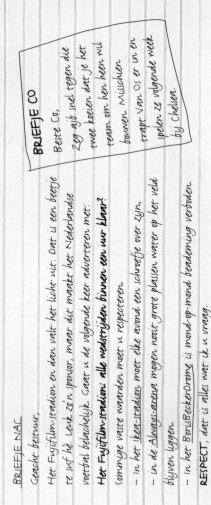

BRIEFJE NAC

Geacht bestuur,

Het Fujifilm-stadion en dan valt het licht uit. Dat is een beetje te suf hè. Leuk zo'n sponsor, maar dit maakt het Nederlandse voetbal belachelijk. Gaat u de volgende keer adverteren met: Het Fujifilm-stadion: alle wedstrijden binnen een uur klaar?

Sommige vaste waarden moet u respecteren.
- In het Ikea-stadion moet elke avond een schroefje over zijn,
- in de Always-arena mogen nooit grote plassen water op het veld blijven liggen.
- In het BorisBeckerDrome is mond-op-mond beademing verboden.

RESPECT, dat is alles wat ik u vraag.

♡ Valentijnkaarten

-KAREL A.: Ik mis u. Kunt u, namens radio Gelderland of zo, geen bod op die uitzendrechten doen?
-ARIE VAN OS: Zomaar. Ik denk niet dat u ooit een valentijnskaart hebt ontvangen.
-WAMBERTO: Belgisch paspoort ligt klaar. Enige voorwaarde is dat je af en toe Manneke Pis vervangt.

BRIEFJE CO

Beste Co,
Zeg ajb snel tegen die twee keeien dat je het team om hen heen wil bouwen. Misschien trapt Van Os er in en speelt ze volgende week bij Chelsea.

E-mail

GEACHTE DIRECTEUR JANSEN,

Ik heb geen idee of uw gast Karel A. inderdaad 100 miljoen gulden in uw
gevangenis wil investeren. Een uitschuifbaar dak lijkt me geen goed idee trouwens.

Geachte RVD-voorlichter,

N.a.v. uw Friso-statement hierbij mijn verzoek om enige
andere Oranje-zaken publiekelijk te verklaren:

- ✗ Edgar Davids is geen Surinamer.
- ✗ Ed de Goey is een travestiet
- ✗ Winston Bogarde is een SM-slaaf
- ✗ Friso is geen vriend van Van Swieten
- ✗ Maxipa was een beroemde verzetsstrijder
- ✗ Ronald de Boer heeft een piercing van een lichtmast
  door zijn geslachtsdeel
- ✗ Jaap Stam is een ongetrouwde vrouw
- ✗ Martijn Lindenberg is een hele populaire baas
- ✗ Michael Reiziger heeft een Vanessa melkzuurbehandeling
  gehad

Ik hoop dat na uw verklaring al dit soort vervelende gerichten
definitief tot het verleden behoren. Van mijn vriendin moest ik
u nog vragen waar Friso die prachtige handtas gekocht heeft.

WILLEM VAN HANEGEM

Veel succes bij Sparta, ik
hoop wel dat je als Canalt-
presentator de nieuwe
Sparta-trainer lekker
kritisch volgt... 'Dat zou ik
zelf beter doen,' lijkt me
een geschikte openingszin.

BRIEFJE CO

Cleane Co.

Is 't wat, die kras? Of moet je met
een gulden over zijn lichaam krassen en
hopen dat er een goeie voetballer onder zit? sorry...
hadden carnavalfeestje.

Doe-lijstje
Taart met vijl
bakken voor Karel

E-mail

✗ Co Stompé: niet bang zijn voor
opmerkingen in de tram. Als je
echt stopt met bloemen, merk je
wel dat je helemaal geen
tramchauffeur bent

✗ Willem van Hangem: hoe flik
je 't toch? Die wenkbrauwen? Dat
rare loopje? Ik heb een apart
neusje en loop een beetje vreemd.
Maar hé, heeft heb jij eigenlijk
wel e-mail?

PERSCONFERENTIE ANTWOORDEN

-Blessures dwingen je te improviseren, maar improvisaties
hebben ook vaak blessures tot gevolg. En vice versa... Wat
was uw vraag ook al weer?

-Op dit niveau mogen dat soort dingen niet gebeuren

-Ook op dit niveau gebeuren dat soort dingen, het blijven
mensen

-In principe is de voorbereiding op Andorra hetzelfde als
tegen Portugal. Jullie stellen toch ook altijd dezelfde vragen?

-Je kunt in dit soort wedstrijden niet ongestraft je man
laten lopen. Behalve als Hannibal Lecter op goal staat
natuurlijk

Lessen van Nederland-Turkije

Van Hooijdonk is helemaal niet nodig om de 0 achterin vast te houden.
Als wij er 1 gescoord hadden en zij niet dan win je 'n wedstrijd gewoon.

Briefje Co.

Je gaat steady hè jongen? Knap hoor.
Heb jij ook het gevoel dat die mond- en
klauwzeer door Vanessa veroorzaakt is?

Doe-lijstje

- Ene Waterens bekijken
- Co Stompé vragen of ArenA-gras
  wel goed rookbaar is
- Ronald op tijd speelbaar krijgen
- Brugink op tijd speelbaar krijgen
- Mijn vriendin op tijd speelbaar
  krijgen (haha Heertje die had je
  van mij niet verwacht hè?)

Briefje Pierre.

Beste Pierre,
Om al het journalistengezeur voor te zijn
even dit briefje. Het is een moeilijke keuze.
Maar ik het met Vennegoor of Hasselink al een
type Van Hooijdonk in de selectie. Een selectie
met het type en de echte is een beetje overdreven.
De De Boertjes zijn een uitzondering. Neet je wel
een leuk hotelletje voor ons? Iets met een grote
slaapzaal is goed. Kan ik 's avonds uit
'De ontvoering van Alfred Heineken' voorlezen.

Briefje Willem-Alexander

Geachte kroonprins,

Ik werk al heel lang in de voetballerij. Vooral de voetballers zelf hebben de naam heel dom te zijn. Toch citeren zij nooit uit een brief van een berichte oorlogsmisdadiger. U blijkt, zodra een mouth-guards even slapen, niet al te snugger te zijn. Aan de inzet van topvoetballers wordt vaak getwijfeld. Ik zie u nooit afzien in een krachthonk, of achter een doorgebroken tegenstander aanrennen. Ook worden mijn jongens verketterd vanwege de exorbitante bedragen die ze verdienen. Als uw moeder u niet onterft behoort u tot de rijkste mensen ter wereld. Kortom, u hebt alle kenmerken van een ongelofelijk goeie voetballer.

Gaarne selecteer ik u dus voor de wedstrijd tegen Andorra. De parkeerkaart voor de gouden koets wordt bijgesloten.

Deze brief is een 'open brief' en u mag de hele media er dus op wijzen.

E-mail

Dhr. Van Raaij

- Bent u ook zo bang dat jullie Eurobeagne-plan niet is afgekeurd maar gewoon nog op de stapel' nog te verstuven' ligt?

Salman Rushdie

- Maak je geen zorgen in Nederland. Iran stuurt al zijn bombrieven via de PSV-administratie.

Briefje bondscoach Andorra

Geachte heer bondscoach,

Ik begrijp dat jullie geen geld hebben voor het maken van een vaantje. Een tekening van uw kleindochter lijkt me inderdaad een goed alternatief. Zal ik wat kleurpotloden sturen?

E-mail

Theo Maassen: Kun je ajb het echte Portugese paspoort van Leonardo aan Jack van Gelder teruggeven?

Theo II: Kun je ajb het echte ArenA-gras aan Jack teruggeven?

Theo III: Kun je ajb de goede naam van Aaltjes aan Jack teruggeven? Anders slaat het nergens op dat hij een proces begint vanwege aantasting ervan.

Sharon Dijkma: Niet treuren hoor. Ons poppenmuurtje voor de vrije trappen is kapot, je kunt meteen beginnen.

Briefje God

Geachte Heer God,

Waarom heeft u de penaltystip geschapen? En het strafschopgebied, de 11 meter, de overtreding. Hoe moeten we in u geloven als de Basters het steeds van de Brugunks winnen? Weet u trouwens of je zonder keeper mag spelen?

Briefje Co

Beste Co,

Ik overweeg om tegen Andorra jouw kerstboomsysteem te spelen, maar dan ongekeerd. Weet jij of je zonder keeper mag spelen?

COMPUTERANALYSE ANDORRA-NEDERLAND

7% balbezit Nederland

22% bal buiten 't veld

7% balbezit Andorra (bal tegen hun lichaam,
aftrap, en warming-up)

Citaten voor de pers

- Amigos de la prensa. Cinko golos. Golos cinko.
Ni tres, ni quatro. Cinko. Golos.

- Aan de Nederlandse journalist die mij Gijs Gans
noemde; hoe meer je een gans probeert te mangen, des
te lekkerder de paté die er uitkomt.

- Davids heb ik uit voorzorg gewisseld, die Andorrezen
probeerden hem een verkeerde postcode aan te smeren.

- De wissels van Andorra had ik allemaal voorspeld. Die
jongens moesten allemaal vroeg naar bed vanwege
hun krantenwijk.

- Dat het nog wintertijd was, speelde natuurlijk ook
een rol. Anders had Kluivert pas na een uur en 9
minuten gescoord.

LESSEN ANDORRA-NEDERLAND

Pierre hoeft maar 10 minuten te spelen.
Had ik goed gezien.

Werklozen kunnen een voorbeeld nemen aan
Jemets sollicitatreis naar een rode kaart.

Doe-lijstje

x Leeuwen op de shirts laten inenten

x Opstelling tegen Portugal bedenken

x 1 april-grappen voorbereiden

x Lekker geurtje meenemen voor Truus

Geachte heer Reitsma,

Ik hoef gelukkig niet naar uw commentaar te luisteren. Maar mijn tegenwijde ghostwriter Heertje wel. Kluivert voor Hasselbaink aanzien is sof. Reiziger voor Van Bommel triest. Maar Stam voor Davids, dat is ja...

Dat is eigenlijk schokkend. Stam lijkt niet op Davids. Stam lijkt nergens op. Behalve op Stam. U kunt uw blindegeleidehond toch vragen even te blaffen als Stam de bal heeft? Uw revanche was echter groots. Het aantal gespeelde interlands van Oranje-spelers opsommen; wat een vondst! Heel Nederland zat nerveus te bidden voor een verdiende overwinning terwijl u opmerkt dat Kluivert Puck van Heel in gaat halen. Of was het Lenstra? Ik wil ook zo'n brailleblaadtje!

Even voor de zekerheid: Willem Alexander trouwt dus met Máxima. Niet met Jaap Stam hè.

Beste Co,

Zit Máxima echt samen met Anneladze op Nederlandse les? Kan ze de volgende persconferentie dan wat vertellen over inschuivende middenvelders en de afvallende bal?

Zodra ze op tv zegt dat ze nu eindelijk één op één met Alexander mag spelen is ze wat mij betreft ingeburgerd.

Briefje sportpers

Vrienden van de sportpers.

Als mijn spelers nou één minuut langer
standgehouden hadden? Dan was ik
ineens de toptrainer van voorheen?
Niemand op me uitgekeken? Mijn
omgang met de pers moeizaam maar
nuttig? De Telegraaf had een lijst met
de lekkerste Koreaanse gerechten afge-
drukt. Sportweek was een lezersactie
gestart waarbij nieuwe abonnees een
origineel Van Gaal-neusje cadeau krijgen.
Jack van Gelder had me huilend bedankt
voor het enige spannende interview uit
zijn carrière.

Oooh, had ik maar lang blond haar,
twee foute ouders en een LOI-diploma
Nederlands op zak. Maar, zoals Michael
Reiziger dhr. Schwarzenegger al
citeerde; I'll be back.

Kaartje bij bloemen sportweek

Gefeliciteerd met jullie jubileum.
Zijn de vaste lezers niet een beetje
uitgekeken op steeds weer die com-
binatie van letters op papier en
daar af en toe een foto tussen?

Briefje Co

Beste Co,

Zet desnoods die wamberto een
halve eierdop op zijn hoofd en geef
'm een tekenfilmerie, maar dit
kan echt niet meer. Nu moet ik
snel naar het feestje van sportweek.

Voorwaarden KNVB erkenning MasterClass

- Tijdens de mondelinge overhoringen niet meer dan drie zaakwaarnemers per scholier
- De leraren moeten minstens één keer per maand Jack van Gelder uitschelden
- Frans Hoek wordt corrector
- Spieken tijdens het examen inschuiven is verboden
- Paul Bosvelt is hoofddocent voetbalhumor, al het lesmateriaal van Hans Kraay jr. wordt verbrand
- De ontvoering van Heineken mag niet meer dan zeven keer op je boekenlijst staan
- Als een klas slecht presteert wordt de leraar weggestuurd
- Arena/Algemene Jan Gaasterland ontwerpt de gymzaal (iets met beton, kiezelstenen en glasscherven)
- Arie Haan en Aad de Mos geven rekenles
- In plaats van schoolmelk zal tijdens de pauze schoolbracardi worden uitgedeeld

BRIEFJE CO:

Beste Co,

- Heb je die tv-spot met vader Abraham gezien? smurfen van rechts hebben altijd voorrang! Ik adviseer je **dringend** Wamberto een blauw pakje en een witte muts te geven en in naar de andere kant te verhuizen.

Gelet die regel ook voor paashazen? Zag vanochtend dat mijn bumper vol melkchocola zit.

E-mail

⊗ **Edgar:** Wat een onzin over stimulerende middelen. Ze noemen je toch de Pitbull? Gewoon zeggen dat honderdtakken vol nandrolon zitten.

✳ **Minister Nederland:** U moet de WK 2002 TV-rechten onmiddellijk weghalen bij de NOS. Wordt een grote ramp. Mannen die vroeg opstaan, dan naar Hans Kraay moeten luisteren en vervolgens de weg op gaan. Doe iets!!

Briefje aan de pers

AMIGOS DE LA PRENSA,

Als ik gelijk heb, wil je volgens jullie altijd gelijk hebben en het is dus eigenlijk ongelijk. Als ik mijn ongelijk toegeef, geven jullie me gelijk en het is dus ongelijk. Als we gelijk spelen had ik moeten winnen. Als we winnen was de tegenstander van ongelijk niveau. Als we verliezen had ik sowieso ongelijk. Misschien moet ik eerst de Johan Derksen <u>Masterclass Korstenlijken</u> volgen voordat ik jullie begrijp. Des te dieper je in de darmkanalen van de gelukschieters wegkruipt, des te gelijker je hebt.

Dan maar ongelijk

Citaat voor persconferentie

Ik moet allereerst de coach van Cyprus complimenteren. Waarom? Is toch heel attent om een tax-free fles Cypriotische Bacardi mee te nemen? Moet ik dan alles uitleggen?

Beste Ed,

Mooi hoor, dat je lichaam het huis van je geest is.
Hierbij nog een paar handige oneliners:

* soms gebruikt de aannemer bij een verbouwing het verkeerde cement.
* Alleen omdat Boonstra een lelijk lichaam heeft en geen zonnebril gelooft iedereen hem wel.
* Als Nederlandse topvoetballer het je slechts baat bij een drug die het penaltybenut-hormoon aanmaakt.
* De spelers van Cyprus, San Marino en RBC zijn de enigen die geen voedselsupplementen gebruiken.
* Nandrolon is als viagra; als je niet kan neuken heb je niks aan een verenlange erectie.
* Soms wordt er in je huis ingebroken en jatten ze niks maar leggen juist wat neer.
* Een land dat de crimineel en fascistenleider Berlusconi tot premier gaat kiezen heeft de oren en ogen vol met nandrolon zitten.

Beste Co,

Ben benieuwd of je met koninginnedag Machlas en Kanu nog kwijtgeraakt bent op de rommelmarkt.
Is je zolder ook weer een beetje opgeruimd.
Nu Robbie bij Haarlem zit, kun je Richard er ook wel heen sturen

E-MAIL

- **H. van Raaij:** Gefeliciteerd! Mijn constante kritiek heeft u scherp gehouden. Zijn de Euro League-plannen al aan RKC verkocht?

- **T. Maessen:** Gefeliciteerd! Heb je al ruimte gemaakt voor de nieuwe aanwinst?

- **C. Boomstra:** Gefeliciteerd! Of wist u het al heel lang?

- **Tito,** Leuk zo'n ruimtereisje, maar je hebt wel het doelpunt van Bruggink gemist

Briefje Co

Beste Co. Wel je best blijven doen,
hoor. Je wilt toch niet eindigen
als assistent van Dick Advocaat?
Verhoog me erg op zondag. Jullie
lijken allerwege je uiterste best te
doen om zo laag mogelijk te
eindigen, maar je weet 't, hè; er
kan er helaas maar één verliezen.

DOE LIJSTJE

Bloemen naar Gerets.
Géén envelop om het
kaartje doen want
dan denkt-ie dat het
een hint is.

Briefje Edgar

Ik las in de krant dat je
nandrolongehalte omhoog
gaat als je varkensvlees eet.
Je hebt je dus gewoon laten
inenten met varkensvet?
Haal je wel die kartonnades
uit je ijskast zodat ze bij
een inval geen doping
vinden?

Menu voor wedstrijd tegen Estland

Voorgerecht: soep van kapotgekookte tofu

Hoofdgerecht: Kapotgekookte tofu

Nagerecht: Afgekoelde kapotgekookte tofu

De imam: Volgens mij is uw Nederlands een beetje slecht. Een homo is iets anders dan een Konterman. Die is inderdaad een beetje ziek.

Harry van Raaij: Wat denkt u van een league met geschorste nandrolonspelers?

De imam: Mag ik wel achter Frank en Edgar staan, of is dat ook al ziek?

Rob Cohen: Onderzoek ook even of een lichaam meer nandrolon aanmaakt als je heel vaak euhhhhhhhh zegt.

Frank de Boer: Je weet niet hoe graag ik ook eens positief uit een test zou willen komen.

Geachte Bert Konterman,

Volgens jou is de ellende door Nederlandse bodem vol nandrolon veroorzaakt. Wat eet jij in godsnaam? LSD-vissticks? Van God moest ik doorgeven dat hij liever niet meer heeft dat jij in Hem gelooft. Hij schaamt zich kapot.

Beste Co,

Balen van zondag.

Ik hoorde dat Niamberto een negatief nandrolon-gehalte heeft, klopt dat?

E-MAIL

Edgar Luister even naar je antwoordapparaat.

Machlas Krijg je bij elke nieuwe rekening ook zo'n leuk welkomstgeschenk?

Edgar Lees even mijn vorige mailtje over het antwoordapparaat.

Machlas Hoe onthou je eigenlijk al die pincodes?

BRIEFJE CO

Beste Co,

Hoor je ook al naar Haarlem?
Kijk uit dat je ze niet te
sterk maakt hè. Of ga jij
volgend jaar ook? Neem je
nog drie spelers mee, is
Haarlem binnen drie jaar
terug aan de Europese top.

IDEETJE:

Dopingschandalen veroorzaken bij Estland.

1. Vriendenmaster aan Herman Brood vragen
2. Estlandse officiael omkopen met pot pindakaas (~~met snoepjes~~)
3. Flessen switchen
4. Estlandse Courant tippen

DOE-LIJSTJE

Edgar het principe van een antwoordapparaat uitleggen.
Verzamelband met spelbos-hoogtepunten samenstellen.
Meedoen aan Amstel-prijsvraag zodat ik naar de finale kan.

MOGELIJKE ANTWOORDEN OP VRAGEN OVER SELECTIE JORDI:

✗ Jordi?
✗ Jordi rendeert niet als de tegenstander typisch Estlands speelt.
✗ Spelers worden ook getest op het Cruyff-gehalte in hun bloed.
✗ Ik denk dat hij eerst een MasterClass moet doen.

DOE-LIJSTJE

➤ Briefje naar Willem-Alexander dat ik
   graag ceremoniemeester ben

➤ Vragen of Laurentien paard wil zijn van
   de gouden koets op 2 februari

CITATEN VOOR PERSCONFERENTIE

- Nandrolon is net als een penalty: als je het
  niet neemt kun je 't ook niet missen.

- Gelet op Laurentiens wankbrauwen pleit ik voor
  dopingcontroles na koninklijke huwelijken.

- Estland is een beetje het Estland van het
  internationale voetbal.

E-MAIL

➤ Dick Jol: Goed gefloten! Vind je
  zelf ook hè? Volgens mij het je
  nooit meer viagra nodig.

➤ Harry van Raaij: Verstandig
  om het contract met Van
  Bommel met een jaar te
  verlengen. Dan kan hij een jaar
  eerder voor het dubbele weg.

BRIEFJE CO

Beste Co,

Gefeliciteerd! Nu is er te weinig stront om doorheen te
zakken. Moeilijk hè om Witschge te straffen.
Door-de-stront-zakken is eigenlijk al een alternatieve
straf (voor iemand die op de wc niet zijn eigen
rugnummer draait). Belachelijk als Ajax je wegstuurt,
hoor. Het enige voordeel is dat dan de hele Nederlandse
sportpers opgepakt wordt vanwege voorkennis.

~~Amigos de la Prensa~~

Met 2-1 van Estland verliezen is een ongekende blamage. Het zou te makkelijk en te voorbarig zijn om de schuld bij de opstelling van een aantal spelers te leggen. Misschien kunnen ze niet beter. Blijkbaar ben ik zelf ook niet in staat om het Melchiotsisme een halt toe te roepen. Daarom heb ik besloten om per direct mijn vlag te nemen.

~~Briefje Co~~

~~Beste Co,~~
~~Dit is mijn laatste briefje~~
~~als bondscoach. Alleen een~~
~~HOD vraag kan de roem~~
~~dacht van mij afleiden~~
~~kun jij ze even bellen?~~

Geachte heer Takema,

Naar aanleiding van het verlies tegen Estland solliciteer ik hierbij naar uw vacature. Terreinknecht bij de Zwaluwen lijkt me een geweldig uitdagende functie. Ik voeg mijn CV en enig.

Persverklaring

Amigos de la Prensa,
De wedstrijd verliep precies zoals we van tevoren hadden besproken. We speelden onder protest. Het is niet makkelijk om onder zwaar protest toch te presteren. Van elke pass moet je eerst de juridische consequenties inschatten. Ik ben dus erg tevreden.

Geachte heer Moszkowicz

Dankuwel voor uw aanbod om geheel belangeloos de zaak Davids en De Boer te behartigen. Uw juridische suggesties heb ik met interesse gelezen. Ik denk dat u inderdaad kunt aantonen dat een penis zich vlak na een wedstrijd niet in normale rustand bevindt. Negentig minuten heen en weer zwiepen in een zwerend broekje zorgt voor allerlei onbekende chemische processen. Misschien dat u vervolgens kunt aanvoeren dat het urinemonster daardoor van inferieure kwaliteit is. Maar het is belachelijk dat u door vergelijking van de penis voor, tijdens en na de wedstrijd wilt beweren dat er een vormfout is opgetreden. Ik ben tevens van mening dat hun geslachtsdelen deel uitmaken van hun lichaam. De rechter vragen om alleen de penissen een taakstraf op te leggen is dus onzinnig.

E-mail

CLARENCE
Fantastisch dat stadion. Mag ik de perskamer financieren?

VAKANTIESCHEMA

- Goed uitrusten
- Goed eten
- Goed drinken
- Goed vrijen
- Nog beter uitrusten
- Nog beter eten
- Nog beter drinken
- Nog beter vrijen
- Papiertje pakken
- Een liter bacardi-cola drinken
- Tactiek tegen de veren opschrijven

Briefje Rob Cohen

Beste Rob

Ik genoot van je. De onderste krokket moet boven komen in deze belachelijke zaak. Ik hoorde dat je nog wat miljoentjes te besteden hebt. Hierbij een uitgewerkt plan:

f 500.000,- Plastische chirurg die Frank ander hoofd geeft

f 125.000,- Pigmentbehandeling van hele lichaam

f 350.000,- Nieuwe naam (Olawé Yakuları), paspoort en geboortebewijs

f 32,75 Lemen hut in Ghana

f 22,50 Zandvlakte in Ghana waar Ajax-scout hem ontdekt

f 9,75 Ghanese acteurs die vijf jaar lang zijn familie spelen

f 470.000,- Louche zaakwaarnemer die hem op Schiphol doorverkoopt aan Barcelona

f 125.000,- Mijn advieskosten

Beste Co,

Ze moeten je wel hebben hè? Cruijff voorzitter, Rijkaard trainer en nu wil Van Raaij ook nog dat PSV die Europa Cup-wedstrijd in de ArenA komt spelen. Als winter volgende week naast je komt wonen en je dochter met Wesleyge thuiskomt, zou ik echt gaan denken dat ze iets tegen je hebben. Zodra ze voorstellen je in aandelen KPN uit te betalen meteen opstappen!

Briefje Co

Beste Co,

Lekker land hoor, Argentinië. Ik ben reuze populair
hier. Iemand heeft bekend gemaakt dat ik Ivan
Gabrich mee het laten voetballen in het eerste van
Ajax. Dat vinden ze echt de beste grap die ze ooit
gehoord hebben. Ik ben al gevraagd om hier dit jaar
de oudejaarsavondconference te doen. In het
voorprogramma willen ze dan een wedstrijde
wamberto-werpen. Waarom hoor ik niks van je?

Zit je stiekem achter een Kongolese cornervoorzaker
aan? Of heb je een Soedalische veteratpakker op het
oog? Ik heb een Ethiopische bankzitter gescout die
razendsnel zijn trainingspak uit kan doen.
Als je wilt kan ik hem met mijn creditcard kopen.
We rekenen later wel af.

Bedankt nog voor je tip trouwens. Ik heb de pers gezegd
dat mijn doelstelling was om bij de eerste vijf in de
poule te eindigen. Waren ze mooi een tijdje stil van.

E-mail

Leo Beenhakker

Jammer dat Sparta je
spelers niet wil. Kun je
die 19 spelers die weg
moeten niet in een ton
zetten en Sparta vijf
keer laten grabbelen?

Bijbelcitaten voor volgende interview:

* OVER VROUWENVOETBAL:
  En ook op de zevende dag rustte zij niet.

* OVER DE MEDIA:
  Als gij iets vindt zult gij iets zoeken.

* OVER HOE HET OOK KAN:
  God zag dat het goed was, zei dat het goed
  was en het was goed.

* OVER DE SCHULDEN VAN VITESSE:
  Gaat heen en vermenigvuldigt u.

OVER ROB COHEN:
Schoonvader vergeef het hen, want ze weten
niet wat zij doen.

IDEETJES:

\# Kann les laten geven aan
politie in Putten over
sleepbeweging

* De spelers van Oranje onder 19
  vragen om zich bij aankomst
  onder vliegtuigstoel te
  verstoppen

Boodschappenlijstje:
2 flessen Rioja
5 flessen Rioja
7 flessen Rioja

BRIEFJE CUPIDO

Geachte heren van Cupido,

Grappig dat de rechter
besloten heeft dat er nog
grotere klootzakken zijn dan
u. Persoonlijk baal ik van
uw overwinning in hoger
beroep. Ik kijk graag naar
mensen die aan hun eigen
onhaligheid ten onder gaan.
Zijn er nog kaartjes voor
zitplaatsen in uw huis? Ik zou
uw zogenaamd totaal beroerde
leven wel eens willen zien.

BRIEFJE CO

Beste Co,

Ik krijg er helemaal zin in, lekker ideetje van me hè,
die lange spelers? Al je geen Godenzonen meer hebt,
moet je gewoon spelers kopen die met hun hoofd de
hemel raken. In het tweede van Benfica heb ik ook een
lange gescout, Hossjdanovics of zo. Heb je Hossam al
gewaarschuwd voor de Israelische vlaggen?

Briefje Fortuna Sittard

Geacht Bestuur,

hierbij laat ik u weten dat ik geen voorcontract bij uw
club wil tekenen voor als ik ontslag neem bij Oranje. Als
ex-bondscoach gok ik dan op een middenmoter.

E-MAIL

Leo Beenhakker

Is het niet leuk als je na elk doelpunt van Ibrahimovic
het geluid van een stofzuiger hoort en dan heel hard:
uit Zweden...'

Ideetjes om de boren te fokken:

* Voor de wedstrijd geheel in
  oranje gekleed door het
  stadium marcheren

* De FIFA verzoeken om de
  Ierse spelers voor de wedstrijd
  een blaastest af te nemen

(van alcohol ga je denken dat
bepaalde lichaamsdelen groter
zijn en meer kunnen)

* Ronald de Boer laten
  beginnen in de verdediging

Citaten voor interviews

* Er zijn meer dan een miljard Chinezen dus ik vind dat je bij de Olympische spelen in 2008 wel van een thuisvoordeel voor de Chinezen kunt spreken.

* ~~Wat zou ik nou over het neven van de competitie Ajax heeft Hassan en Ibrahimovic~~ ~~PSV Vennegoor of Hesselink en Egbromad van Hooydonk voetbogen kan weer niet.~~

* Men klaagt steeds over het Nederlandse onderwijs, maar dat bestaat tenminste. Dat kun je van die Masterclass niet zeggen.

* Ik wil niet oordelen over zelfmoord. Ik weet alleen dat je zelf je zwaarste tegenstander bent.

* Ik vraag me trouwens altijd af wat een Chinese vrijgezel eet als hij 's avonds geen zin heeft om te koken.

(E-mail)

REAL MADRID
Ongelooflijk hoeveel zwart geld jullie te spenderen hebben. Daar zullen behoorlijk wat oude sokken voor nodig geweest zijn. Of hebben jullie gewoon een gevulde oude sokkenfabriek onder je bed?

VAN DER SAR
Zelfs als je een tijdje alleen barkeeper bent stel ik je gewoon op.

FRANK RIJKAARD
Succes jongen. Eindelijk een man die zijn lot achterna loopt.

BRIEFJE CO

Beste Co,

Lijkt me niet slim hoor als je Dickie om Celtic-advies gaat vragen. Die heeft afgelopen seizoen zes keer van ze verloren! Ik zou tegen de heren van de pers zeggen dat je hoopt dat je tegen Ajax tegen Celtic bij de eerste twee eindigt. Toch jammer van Witschge. Na een schijntrap op kunstgras verdwijnt de tegenstander waarschijnlijk in een vierdimensionaal hologram.

Fax jorien v/d Herik

Geachte heer v/d Herik,

U weet dat ik het meestal met u eens ben. Maar kunstgras in de ArenA is toch geen competitievervalsing?
Trainers met lagerhaar vind ik een grensgeval.

Voorbeelden van strafbare namaak:

- Spelers opstellen met een vals paspoort
- Spelers opstellen met een kunstbeen
- Keepers met zo'n piratenhaak aan hun arm

Uw spelers tekenen toch ook geen protest aan tegen een
vrouw die thuis op een kunstpenis speelt? Als ze daarvan
genoeg is, ben je pas echt in het nadeel.

AFBELLEN

- Oefenwedstrijd tegen het Milosoepie
- Extra beltegoed
- Bezoek aan de Geisha-kwekerij

BRIEFJE GUUS HIDDINK

Beste Guus,

Zal ik je komen assisteren deze zomer? Ik heb bijvoorbeeld unieke informatie over Ierland. Die zijn helemaal niet zo slecht in de lucht als iedereen denkt. Mocht je tegen Portugal loten, let dan vooral op ene Figo en Rui Costa. Goed hè! (We winnen niet voor niets met vijf-nul van Estland).

BRIEFJE CO

Geachte heer Adriaanse,

Indien het u schikt zou ik graag eens persoonlijk kennis willen nemen van uw trainingsmethodes. Uw resultaten zijn verbluffend en u zeer gegund. Bent u al stiekem vervangers van Van Os en Van Praag aan het benaderen?

E-MAIL

Hasselbrink

Hé, Jerry, laat me even weten of je in de jeugd ook elleboogstoten op rechts gegeven hebt.

Van der Eijden

Ha ha ha ha ha
ha ha ha ha

AANPASSINGEN MASTERPLAN

- **Doelstelling:** WK 2066 winnen
- **Verwijzz:** kleinkinderen van kleinkinderen van Cruyff, Van Hangem, Gullit, Rijkaard en Van Basten uitnodigen voor jaarlijkse stage.
- Eventueel crèche opzetten voor talentvol zaad zodat ze samen leerproces ondergaan
- **Evaluatiemoment:** 22 April 2061 om 15:15 uur

Johan pesten

Alle hapjes op de Johan Cruijff-schaal serveren.

E-MAIL

Van Os
- Mijn neefje van drie wil nooit rekenen, mag hij nou ook gratis bij jullie op de tribune zitten?

Van der Sar
- Jammer, even een snapje terug. Fulham is een mooie club, maar geen Katwijk natuurlijk.

Beenhakker
Wil je echt weer het veld op? Ik hoorde dat je al plannen het voor de aanleg van een kunstdalletje.

Doe-lijstje voor mijn partijtje

- Bacardi kopen
- Cola kopen
- Bacardi met cola mixen

- Nieuwe zootjes en pindavarianten uitnodigen zodat ze vast aan de druk van mijn feestjes kunnen wennen

- Bacardi kopen
- Wim Kieft vragen of hij het koekhappen komt analyseren

- Bos rozen voor Truus kopen
- Vragen of Rob Cohen de wokkels laat testen op nandrolon

- Jack van Gelder bellen dat ik niks organiseer

BRIEFJE CO

Beste Co,

Hou vol hè! Als je gewoon Celtic pakt, de beker wint, in de competitie als eerste eindigt, in de Champions League iedereen verslaat, per wedstrijd 5 doelpunten maakt, 0 tegen krijgt en winter ook bij Sparta op de bank belandt, durven ze je nooit weg te sturen.

BRIEFJE CO,

Beste Co,

Cedric kwam inderdaad te
vroeg. Maar je spelers waren
steeds te laat. Zodra ik 't
zelf begrijp bel ik je.

DOE-LIJSTJE
- Truus vragen om het
  woord Waterras op
  keeperstrui te borduren
- Vragen of Makaay zijn
  uitnodiging naar
  Bruggink doorfaxt

PERSCONFERENTIECITATEN
- Engeland zie ik als een
  serieuze test
- De training zie ik als
  een serieuze test
- Elke test zie ik als een
  serieuze test
- Tijdens het taxfree-
  inkopen zag ik een
  enorme grijpheid

BRIEFJE BLATTER

Geachte heer Blatter,

U hebt er zelf om gevraagd. Wij zullen typisch
Nederlands tegen u spelen. We proderen van de flanken
en laten bodemprocedures naar mogelijk inschuiven.
De schaduwadvocaat kaatst de large aanklachten terug
op de diepste deurwaarder. samen met de familie
Moszkowicz organiseren we vanaf volgende week geheime
hoger-beroeptrainingen. We laten de kortgedingen zo snel
rondgaan dat er steeds nieuwe aanklachten voor uw neus
opduiken. Het gaat erom één veroordeling meer te scoren
dan tegen te krijgen. Rob Cohens A-team zit bij ons op
de bank, kunt u nagaan.

BRIEFJE ROB COHEN

Beste Rob,

stel dat Frank 1 september nog
getrouwd is. Of helemaal niet
getrouwd heeft. En stel (theoretisch hè)
dat ik hem dan op de bank zet.
Hoeveel experts heb jij al gevonden die
kunnen bewijzen dat Frank makelijk
op één been kan spelen? En ongetraind?
En met z'n ogen dicht? En op
krukken? En op balletschoenen? Leg
alsjeblieft geen beslag op mijn huis,
bankrekening of collectie jack van
Gelder-truien.
Ik wil niet naar de gevangenis!

DOE-LIJSTJE

Ballenzak naar Frans Hoek vernoemen
Emil Ratelband ~~aan~~ tegeleidingsteam
~~vragen~~

E-MAIL

Kevvan

Leuk dat je nu kruisjes staat in plaats van
op je naam te wijzen. Of is dat hetzelfde?

Martijn Lindenberg

Ik keek vannacht om 5 uur tv en er was
geen live-voorbeschouwing op de voorbeschou-
wing van de nabeschouwing van het
afgelopen weekend. Dat kan toch niet?

BRIEFJE CO,

Lekker Co! Nu al mooi gelijk op met PSV.
Laat je niet verhuren aan Haarlem hoor.
Kun je Wamberto niet in Japan laten
ontdooien tot
een Ovu?

Briefje sportpers

Geachte sportpers,

Je zou kunnen zeggen dat hij geen respect heeft voor vedetten (Keizman), onrust veroorzaakt door experimenten met de opstelling en bedroevende resultaten boekt. Hij heer Eric Gerets en jullie laten hem met rust. Te druk bezig met het overschrijven van elkaars rotzooi over Adriaanse. Te lui om helemaal naar Eindhoven af te reizen. Te bang om af te wijken van collega-uitwhitten. Triest hoor.

Citaten persconferentie   E-mail   john de mol

- We zullen de laatste kans op een maand gevolgige sushi zeker grijpen
- Ik hoop dat de eerste keeper ook van vissen houdt.
- Natuurlijk mis ik het tac- tische vernuft van Co.

Dus bij elk program- ma met een tafel, microfoons en die twee eikels, zegt u voor een rechtszaak? Geweldig!!

Briefje Co

Beste Allerbeste Co!

Ha ha ha! sinds jezus het ik niet meer zo'n wederop- standing gezien. Ik hoop dat ze je ontslagbrief nog uit de brievenbus konden halen Absje Wamberto aan het voetballen krijgt, ben je een hele grote. Ben je al een masterclass aan het organiseren?

Beste Rob,

Door het tijdsverschil werd die
Ierse verdediger in Nederland
pas een uur later het veld
uitgestuurd. Dat is toch
schandalig? Denk je dat je
juridisch kunt aantonen dat
die teven 60 minuten met een
man te veel speelden?

Geachte spelers,

Ik zal jullie niet vermoeien met de zinloze wedstrijd
tegen Andorra. Zonde van jullie tijd.

Mijn voorlopige selectie: Sjaak Swart, Rinus Israël, Willy
van der Kuylen, Bud Brocken, Eddy Treytel, Bart de
Graaff, Arie Ribbens, Joop Zoetemelk, Fred Emmer, Kees
Verkerk, Theo van Gogh, Aart straartjes, de jostiband,
Bassie, de Brulsmurf, Ada Kok en Fred Grim.

Hasselbaink:
~~Spits~~
Linkshalf
~~Keeper~~
~~Masseur~~
Rechtsbuiten

(Johann Foster)

Overmars speelt goed dus:
- Zorgen dat hij niet hoeft
  mee te verdedigen
- Alle ballen op Overmars
- Wisselen

Beste Co,

Hallo Co... Co! Co, ben je daar?
Co, waarom neem je niet op als
ik bel? Co? Je laat me toch niet
vallen hè, Co?

BRIEFJE AAN MIJN BAZEN

~~Geachte heer Kessler~~ ~~Norbert~~ ~~vreemdsoortig~~ ~~schepsel~~ Zak-KNVB-directie,

In mijn hele carrière staan eerlijkheid en respect voor menselijke normen en waarden voorop. Ik ben één van uw belangrijkste werknemers en wordt terecht aangesproken op uw gedrag van afgelopen week. Ik schaam me dus kapot. U verdient één van mijn befaamde karatetrappen, maar dan op zakhoogte. Aanvallen op de beschaving zijn blijkbaar niet het exclusieve werkterrein van psychopaten die vliegtuigen kapen. U bent ongetwijfeld hard bezig met uitzoeken of Afghanistan zich gekwalificeerd heeft voor Japan en we dus alsnog kans maken. Mijn advocaat zoekt uit of het mogelijk is om je werkgever op staande voet te ontslaan.

E-MAIL RAOUL

Beste Raoul,

Zullen we maar een weekje overslaan?

BRIEFJE RONALD WATERREUS EN ARNOLD BRUGGINK

Beste jongens,

Ik heb de eerste versie van de interviews met jullie gezien. Ik weet dus dat de NOS bewust geprobeerd heeft jullie te naaien. Trek je alsjeblieft niks aan van de luchters die onder leiding staan van terroristenwoordvoerder Hugo bin Camps.

E-mail

Gerats - Misschien moet u zelf ook eens wisselen met andere trainers die het goed doen op de training.

Van Raaij - U bent briljant! Dit is de enige manier om uw team bij elkaar te houden. Trouwens, wist u al dat ik héél goed kan opschieten met Van Bommel, Colin, Bruggink, Venegoor, Hofland, Huntelaar, Castrinio en Froje?

Foppe - Kunnen we Heerenveen niet namens Friesland inschrijven voor het NK in Japan?

BRIEFJE MINISTER VAN DEFENSIE

Geachte heer De Grave,

Hierbij laat ik u weten, dat ik weiger mee te werken aan uw onderzoek naar terroristische cellen bij voetbalclubs. Het is mij niet opgevallen, dat Trabelsi de bal opvallend vaak aan Hossam geeft. Ook vind ik het niet verdacht, dat Chivu zoveel shoarma eet. Volgens mij bent u een beetje paranoïde. Uw vermoeden, dat Ramzi in een Lada rijdt, is zielig en lachwekkend.

BRIEFJE CO

Beste meneer Adriaanse,

Kan ik me bij u opgeven voor het volgen van een masterclass? Ook vraag ik me af of er nog iets aan onze weddenschap valt te doen. Moet ik echt mijn hele collectie kladblokken opeten als u kampioen wordt?

TACTISCHE BESPREKING TEGEN ANDORRA

Ophouden met lachen! Wie het eerst stopt met lachen,
mag de corners nemen. Jullie denken misschien dat
deze wedstrijd nergens op slaat. Dat is ook zo. Maar er
zitten toevallig wel duizenden mensen in het stadion.
Mensen die dus geen vrienden, familie of vage
kennissen hebben. Mensen die op zaterdagavond niks
beters te doen hebben dan naar de onbelangrijkste
wedstrijd ooit te gaan. Gun die mensen wat lol.
Afgesproken? Oh ja, ik ga in de rust weg, want Truus
heeft een leuke videofilm gehuurd.

REGELS VOOR DE SPELERS TIJDENS DE WEDSTRIJD

* Maximaal 8 smsjes per helft versturen
* shirt en lid in je broek

Doe lijstje

* C.V. opsturen naar
* H. van Raaij
* ~~Bins Brandstetter~~
  ~~vragen te~~ ~~gaan~~
  ~~te lijden~~

BRIEFJE CO
~~Beste~~ Allerbeste Co,
Gewełdig dat ik je weer
mag tutoyeren en citeren
je bent de beste!

VERBODEN:

* Om elkaar te tackelen
* Knijpen richting
  Mekka na doelpunt
* # Bal met groene zeep
  insmeren
* Brilletje tekenen op de
  leeuw van je shirt
* Proberen penalty's met
  het hoofd te nemen

FAX CNN

Dear mister Turner,

I understand from my wife that our legendary game against Andorra was live on CNN. Can I have a tape of your breaking news report?

DOE-LIJSTJE TOT EVALUATIEMOMENT IN

JUNI:

- Analyseren corners tegen Andorra
- Evaluatielocatie zoeken
- Evaluatielocatie reserveren
- Evaluatie-agenda opstellen
- Dagje naar de Efteling
- Ochtend uitslapen
- Oude vakantiefoto's inplakken
- Zolder opruimen
- Barbecue schoonmaken
- Bureau bij de KNVB leeghalen
- Items voor doe-lijstje bedenken

MODIE	EVALUATIEZINNEN
	⊘ Amigos de la prensa, esta la madra de todas las evaluatrias.
	⊘ Wij zijn de beste van Andorra, Estland en Cyprus.

BRIEFJE SPELERS

Beste jongens,

Bedankt voor de geweldige dagen. Vooral de zogenaamd besloten trainingen waren een hoogtepunt. De pers weet nog steeds niet dat we gewoon aan het picknicken waren, gevolgd door een wedstrijdje zaklopen.

Ik vind het ook een hartver- warmend initiatief om '14 mijlpen bij elkaar te leggen en daar Westerveld van te kopen. Maar wat gaan we in godsnaam met hem doen?

⊘ BOETES ⊘

Van Nistelrooy.....(lachte de hele wedstrijd)
Ruud Krol...(Hield de paraplu ook boven zijn eigen hoofd)

Doe-lijstje

- Keukenkastje schilderen
- Schilderij in de huiskamer rechthangen
- Verjaardagen invullen op WC-kalender
- Matras in slaapkamer omdraaien
- Aanklager vragen Frits Barend te veroordelen voor tv-beelden
- Afwasmachine uitruimen

FAX BIO-FREEZE

Geachte heer Bakema,

Met veel belangstelling heb
ik uw brochure over Bio-
freeze gelezen. Ik wil zowel
mijzelf als mijn spelers voor
een periode van 5 jaar in
laten vriezen. De heer Krol
wil graag weten of het
zonder sokken niet te koud
wordt.

BRIEFJE CO

~~Beste~~ Geniale Legendarische Co,
Ongelooflijk dat je geen
Nobelprijs gekregen hebt. Wat
jij doet had zelfs Nostradamus
niet voorspeld. Hoe je als je
thuiskomt wel eens op met-
lachen? Peter Breve doet het
ook geweldig. (Wat dóet-ie
eigenlijk?)

Van Raaij

Hoe staat het toch met
uw plannen voor een
Eurodisneycompetitie?
Zlatan Ibrahimovic
Jouw naam hebben ze
zeker ergens verkeerd
gespeld. Effe een vorm-
foutje aanvinken en je
kunt weer voetballen. (Is
het trouwens elleboogstoot
of ellenboogstoot?)

DOE-LIJSTJE

- Nagels knippen
- In verband met nieuwe club uitzoeken hoeveel het kopen van Frank, Ronald, Winston, Marc, Patrick, Dennis, Phillip, Edwin, Edgar, Nwankwo, Finidi, Michael en Jari kost
- Fietsbel repareren
- Zoutvaatje bijvullen
- Raoul Heertje uitnodigen voor gezellig etentje
- Vlitje onder linkerkeukentafelpoot leggen

- Coach v/d oud-internationals worden (nog 30 jaar met dezelfde spelers werken!)
- Mediatrainer worden
- ~~Wisselhater worden~~
- samen met Frits Barend de opnaatjes op het Muppetbalkon vervangen
- Het prachtige boek de Laatste der Stijn Vrevens verfilmen

BRIEFJE CO

~~Beste ~~ ~~egocentrische~~ Meester van het heelal Co,

Lekker bezig hoor. Die Denen zijn toch een beetje de Denen van het Europese voetbal. Geweldig idee om met Kerst een kalender met hilarische Peter Boeve-uitspraken op de markt te brengen. Daar kan de videoband met de beste typetjes van Ernie Brandts niet tegenop.

E-MAIL

Barthez

Niet ongerust worden, hoor! Je hebt een grote toekomst als cliniclown.

Ferry de Haan

Wilde je zo graag samen met Pierre douchen?

- Flessen naar de glasbak
- Nieuwe batterijen in afstandsbediening
- Al jazeera instellen op video

BRIEFJE ROB COHEN

Beste Rob,

Je pogingen om een wildcard voor de WK te regelen zijn nutteloos. Wat moet ik dan doen als we in de eerste ronde uitgeschakeld worden? Ik wil een:
- wildcard voor de finale,
- wildcard voor Andorra als tegenstander,
- wildcard voor mezelf als de scheidsrechter,
- twee rode wildcards voor spelers van Andorra.

E-MAIL

* Stijn Vroom

Belachelijk dat sommige bloedgezichten je geen hand geven. Nodig ze eens uit in je tipi om de vredespijp te roken

*Bruggink

Niet lachen als je scoort tegen Galatasaray, hè. Mag niet van Groen Links.

* Don Diego Prater

Ga alsjeblieft niet in een envelop wonen

BRIEFJE CO

Beste ~~Allerbeste heerser van het universum~~ Co,

Ik ben blij dat je, net als ik, altijd in Namberto bent blijven geloven. Misschien dat Van Basten die Ibrahimovic kan leren golven. Er moet toch een sport zijn waar die jongen wel goed in is?

Nog 8 7 4 3 2 1 nachtjes slapen

<u>LAATSTE DOE-LIJSTJE</u>
— In de plantenbak van Henk Kesler pissen.
- Op alle foto's van Cruijff een brilletje en snor tekenen.
— Nog een keer in de plantenbak van Kesler pissen.
— Twintig zwangere muizen loslaten.

Citaten voor de pers
— Waarom moet je altijd op het hoogtepunt stoppen?
Truus heeft ook liever vlak daarna.

— Uit mijn evaluatie blijkt dat als we van Portugal
en Ierland gewonnen hadden, we wel naar het WK
hadden gegaan. Dus waar hebben we het nou over?

E-MAIL
Van Raaij

Misschien dat een Calimero-league iets is,
samen met Andorra, Liechtenstein en
een selectie van de Apenkerk.

BRIEFJE VOOR CO

Beste Co,

Een mooi paard hoeft inderdaad
geen goeie ruiter te zijn.
Een lekkere koe is geen topkok.
Twee spijsen van 20 miljoen
hoeven niet te kunnen voetballen.

Zijn er nog wel stcelpoten over
waar iemand aan kan zagen?
Mijn advies? Laat je baard
staan en verander je naam in
Eric Gerets.

Doe-lijstje
*
-

FILOSOFIETJES
* Diego wordt geëerd,
nooit meer nummer 10.
Ik word ook geëerd,
nooit meer nummer 11.
Van Kluivert moet ik
wat meer sfeer creëren.
Zal ik een paar
Cliniclowns inhuren?

Briefje Co

Lieve Co,
Ik ben een beetje dronken.
Hierbij wat nieuwe
gezegdes voor als Van
Basten blijft zeuren.
- Een goeie papegaai is nog
geen gevoelige quizmaster
- Een goeie kanvee(?) is nog
geen lekkere sigaret.

E-MAIL

Gerets: Knap hoor geen punten gemorst afgelopen
weekend. Is het lek al boven?

KNVB: Als eerbetoon aan de domste trainer ooit, stel
ik voor dat geen enkele trainer ooit nog de
naam Aad mag gebruiken.

Groenlinks: Had Nederland geen strafcornerpauze in
moeten lassen tegen Pakistan?

FAX AAN AAD

Aad!
Ha ha ha! Jansen en Cruijff en De Mos.
Je bent veel te bescheiden.
Ik eis: - Een acteerschool met Al, Robert en Aad.
- Een zomerfilm met Georgina, Kaja en Aad.
- Een nieuwe kinderserie Bassie & Aadriaan.
Ben je al gevraagd voor de oudejaarsconference?

Doe-lijstje

- ....
- ✗ ....

E-MAIL

Staam: Japie! je hebt dat haargroeimiddel van Dickie toch niet ingeslikt?

Cohen: Goed idee hoor, de actie Zaakwaarnemers voor Zaakwaarnemers. Die gehandicapte sporters zullen toch wel gratis meewerken?

Eisenpakket aan de KNVB

- ① Als Maradoniaans eerbetoon mag na mij nooit meer iemand bondscoach heten.
- ② Ik wil een afscheidswedstrijd tegen Andorra (het vrouwenteam, voor de zekerheid).
- ③ Ik bepaal zelf wanneer ik weer terugkom.

Briefje Co

WAARDE DIERENVRIEND CO,

Nederland heeft onder mijn leiding toch mooi de top van het Wereldranglortklassement bereikt.

Hierbij wederom wat nieuwe gezegdes voor als Van Basten blijft zeuren:

- Een mooie zebra is nog geen groene plek om over te steken.
- Een platte ijsbeer betekent nog niet dat je een open haard hebt.

Briefje voor Louis

Beste Louis Geachte heer van Gaal,

Allereerst bedankt voor uw brief. Ik heb inderdaad jarenlang gesuggereerd dat ik
mocht beschikken over uw kladblok. Dat was niet altijd het geval. Ik hoopte dat u
mij, dus uzelf, één keer in het openbaar zou citeren. Dan was ik ogenblikkelijk
gestopt en had ik uit het gestolen beeld van Michels een beeld van u gehouwen.
Want eigenlijk ben ik een fan. Maar u maakte het me zo moeilijk! Had u maar
een keer aan Jack gevraagd of Theo Maassen nog langskomt om het maagdenvlies
van Maxima te retourneren Of een persconferentie beëindigd met: Reizigers
wordt natuurlijk vooral gededicaceerd op de lengte van zijn penis. Of: mag ik u een
paar moppen citeren uit het oeuvre van Peter Brave?

Helaas neemt u uzelf al bijna zo serieus als de media dat doen.
Mag ik u verzoeken om bij uw presentatie in Manchester of
Chelsea de Engelse pers te wijzen op het feit dat de auto's aan
de verkeerde kant van de weg rijden?

Veel goeds en groeten,
Raoul

Doe-lijstje

× Briefje aan Heertje schrijven

× De ontvangen chocoladeletters op alfabet leggen

E-mail

John de Mol

Hierbij laat ik u weten geen interesse te hebben om
wekelijks prime-time een persconferentie te geven.

Henk Fräser Westbroek

Hierbij laat ik u weten geen enkele interesse te hebben
in uw party. Bij mij is macht middel en geen doel.

Adriaan van Dis

Hierbij laat ik u weten geen interesse te hebben in het
opzetten van een Masterplan voor overschrijftalenten.

Mullah Omar

Hierbij laat ik u weten geïnteresseerd te zijn in de
vacature van technisch directeur van Torn Born
United. Uw spelers maken een zeer gedreven indruk.

Briefje aan Heertje

Beste Raoul,

Ik stuur je nog steeds graag
mijn kladblok op, maar wat
zullen de lezers denken?

Het lijkt nu net alsof ik thuis
op de bank met Truus ook een
kladblok op mijn schoot heb
liggen. Dat is wel zo, maar
dat hoeft toch niemand te
weten? Nu ga ik mijn
kerstballen evalueren.

BRIEFJE HEERTJE

Beste Raand,

Laten we er ajt mee ophouden. Ik ga
met kerst de aanbiedingen bekijken
die ik op zak heb. Die van de Blokker
doe ik zeker niet. Ik kan ze niet meer
motiveren. Zonder een goed stel borsten
sta ik machteloos. Alleen iemand die
zelf hoog genoeg heeft is geschikt als
nieuwe bondscoach. Ik vond het bijzon-
der om met je gewerkt te hebben. Je
was altijd consequent, hard en eerlijk
in je kritiek, maar je bewondering
strak je ook niet onder stoelen of tafels.
We moeten allebei verder. Ik wens ons
veel succes. Dat verdien ik

Nieuwe circaten voor circatenboek:
- Zijn mijn ballen nou zo klein of zijn jouw
  tieten zo groot?
- Op dit niveau mag je je zaadlozing nooit
  uit handen geven.
- We hebben ons wel geplaatst in Kiira.

Patrick

Is die Maria niet een leuk
nieuw project voor je? Kom je
snel wat engelenhaar in onze
kerstboom spuiten?

FOPPE DE HAAN

Voor f 330,- mag je
luinge een lul noe-
men. Dat is maar
f 66,- per centume-
ter! Koopje toch?

Kerstkaaren

Kiira

Nog vele zalige
uiteindes
gewenst!

SPELERS DIE ZEGGEN DAT IK MOET BLIJVEN

- Kluivert
- De Boer (2x)
- Van Hooijdonk
- Overmars
- Fredje Bruma

Doe-lijstje

Briefje Co,
HEEE CO,

SPELERS DIE FLUISTEREN DAT IK WEG MOET

- Kluivert
- De Boer (2x)
- Van Hooijdonk
- Davids
- Overmars

Er kan er maar één de slechtste
zijn en dat was dit keer Ajax.
Ik denk dat we allebei een mooie
lange wintervakantie kunnen
breken. Zullen we een gezellig
Center Parcs-huisje afhuren en
elkaar lekker knus evalueren?

Op de hoogte stellen beslissing:

~~KNVB~~   ~~PROOST~~
BEATRIX   DE BUREN
~~ROB COHEN~~ KOFI ANNAN
COLIN POWELL

Aanwijzen als geschikte opvolger
- LOUIS VAN GAAL
- TRUUS
- FRANS HOEK

Johan pesten
De techniek waarmee zijn
website gemaakt is, schiet
behoorlijk tekort.

Citaten voor persconferentie

Nederlanders missen de mentale opofferingsgezindheid die
zware Pieten wel voor Sinterklaas opbrengen.

Ik bepaal zelf wanneer ik mijn evaluatie evalueer.

Als Nederland het WK had georganiseerd, hadden we ons
moeiteloos gekwalificeerd.

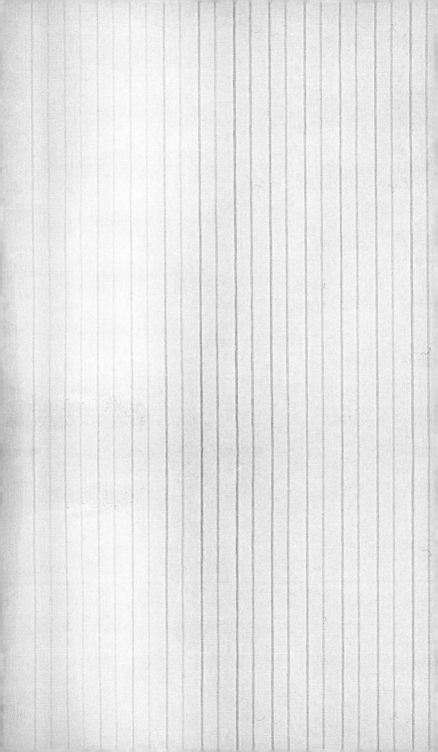

Briefje aan Co,

Beste Co,

Waarom nemen we onze wereld zo serieus? En onszelf? Wanneer heb jij voor het laatst jezelf uitgelachen? We kunnen als geen ander liefhebben en grappig zijn. Maar we zijn vooral hatelijk en worden uitgelachen. Om jou te lezen wordt de handel in een waardeloos aandeel stilgelegd. Co, volwassen mannen in pakken gaan heel serieus kijken en knopjes indrukken. Niemand maakt een foto van de enorme Pinokkio-neus van Van der Eijden. Net van mijn hand bij mijn neus. EN IK HEB NIET ALTIJD MIJN HAND BIJ MIJN NEUS! Wat doen ze vervolgens: ze maken een foto van me zonder hand bij mijn neus. EN IK HEB HELEMAAL NIET ALTIJD MIJN HAND NIET BIJ MIJN NEUS. Dan maken ze een foto van mijn hele gezicht, inclusief neus. MAAR IK HEB HELEMAAL NIET ALTIJD EEN NEUS!

Doe ik het weer.

We zeggen dat we onszelf niet anders kunnen voordoen dan we zijn. Ik vrees dat het precies omgekeerd is. We durven niet te laten zien wie we werkelijk zijn.

sterkte

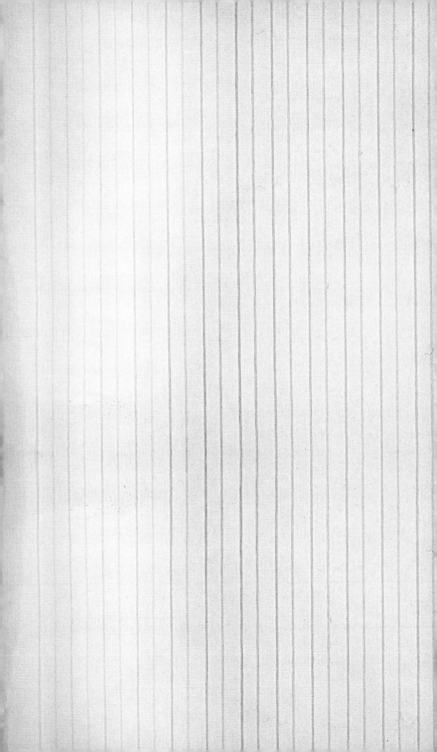

Dank

Met dank aan: Sportweek en de beste bazen
van melkwegstelsel Robert en Frans.

Meneer van Gaal en meneer Adriaanse ben ik diep dankbaar.
Je kunt veel van jullie zeggen maar niet dat jullie nietszeggend zijn.
Dus ben en blijf ik fan.

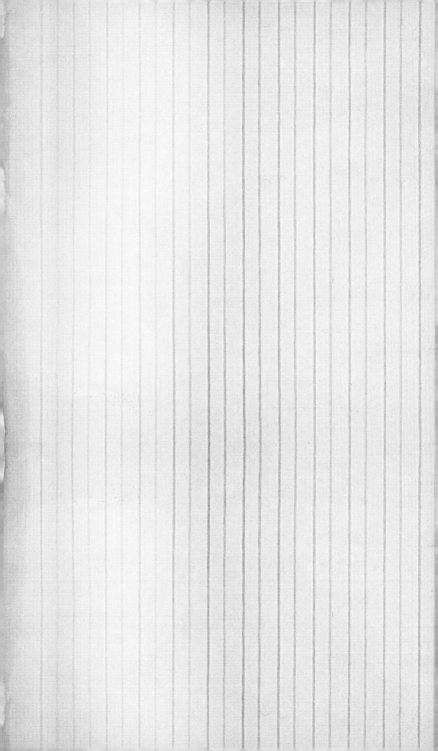

Colofon

Het kladblok van de bondscoach verscheen eerder in Sportweek

© Raoul Heertje, 2002

© Uitgeverij Vassallucci, Amsterdam 2002

Omslagontwerp: Ronald Feith en Martin Oudshoorn

Fotografie: Martin en Marco Oudshoorn

ISBN: ~~90 5000~~ 90 5000 423 7

NUR: 401

Solicitors' Guide
to Good Management

Related titles by Law Society Publishing:

Becoming a Partner
Young Solicitors' Group

Lexcel Practice Excellence Kit (3rd Edition)
The Law Society and Matthew Moore

New Partner's Guide to Management
Simon Young

Practice Management Handbook
Peter Scott

Profitability and Law Firm Management
Andrew Otterburn

Risk and Quality Management in Legal Practice
Matthew Moore and John Verry

Setting up and Managing a Small Practice (2nd Edition)
Martin Smith

Titles from Law Society Publishing can be ordered from all good book-shops or direct from our distributors, Marston Book Services (tel. 01235 465656 or email **law.society@marston.co.uk**). For further information or a catalogue, email our editorial and marketing office at **publishing@lawsociety.org.uk**.